Abigail

Traduit par Nicolas Dupin

Publié par Watts en 1995.
Titre original : *Castles*.

ISBN 2-7366-4801-3
Dépôt légal :octobre 1998,
Bibliothèque nationale.
Imprimé par Eurografica.

Editions Epigones
80, rue de Vaugirard
75006 Paris

les châteaux

Écrit par FRANCESCA BAINES

Illustré par MARK BERGIN

Série créée et conçue par
DAVID SALARIYA

épigones

Les châteaux

étaient des forteresses bâties
pour se protéger contre
les armées ennemies.
Un seigneur et son entourage
y demeuraient mais ils servaient
également à protéger les gens
qui travaillaient sur les terres
du château et vivaient dans
des villages aux alentours.
Au fil des siècles, un château
devait généralement être renforcé
car les armes devenaient
de plus en plus puissantes. Entre
le XIe et le XVe siècle, période
appelée le Moyen Âge, les châteaux
ont joué un rôle essentiel.
Page suivante, on peut voir
un château du XIVe siècle.

Le Moyen Âge couvre une période qui va du Ve au XVe siècle.

Le XIe siècle va de 1001 à 1100.

Le XIIe siècle va de 1101 à 1200.

Le XIIIe siècle va de 1201 à 1300.

Le XIVe siècle va de 1301 à 1400.

Le XVe siècle va de 1401 à 1500.

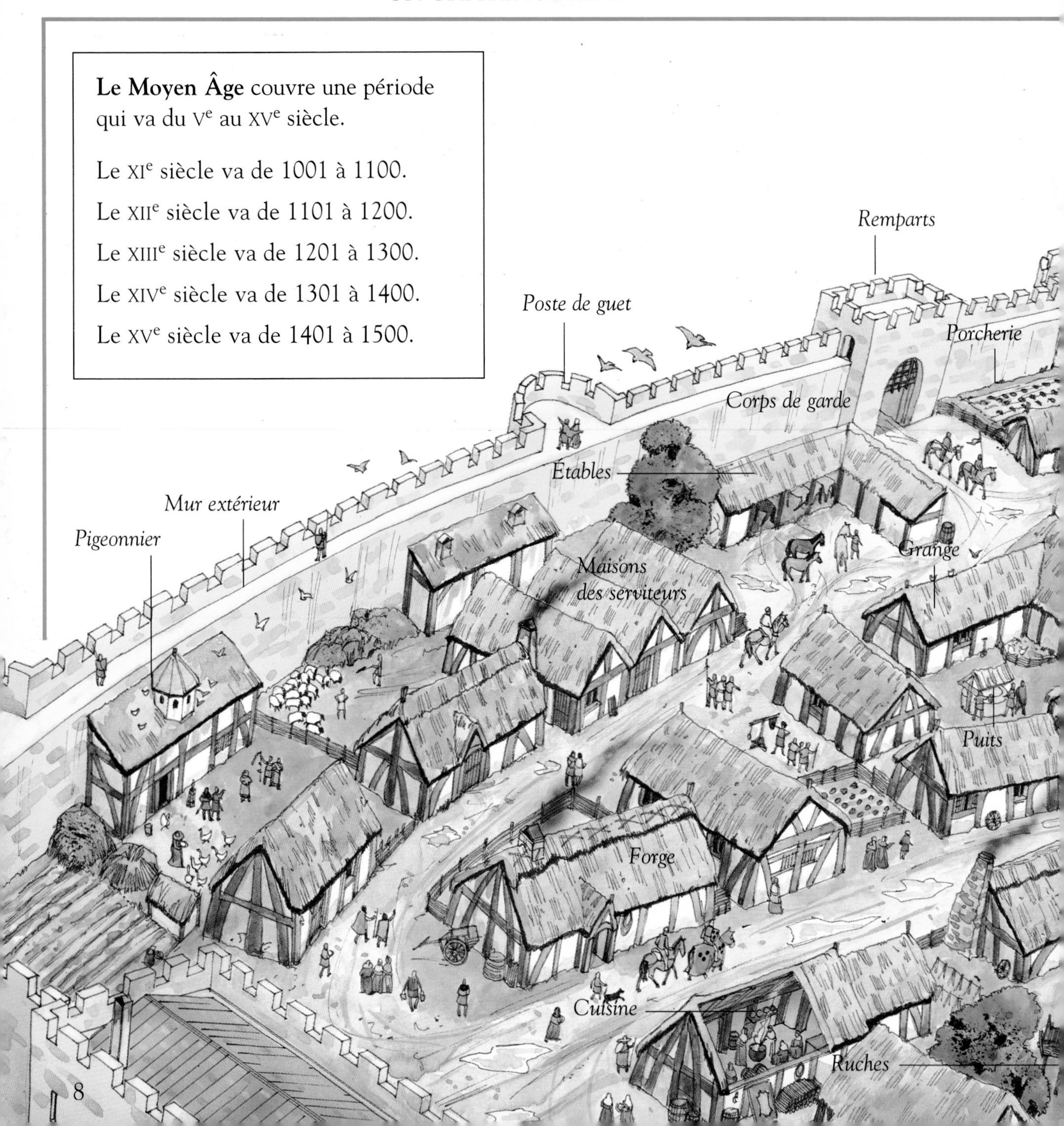

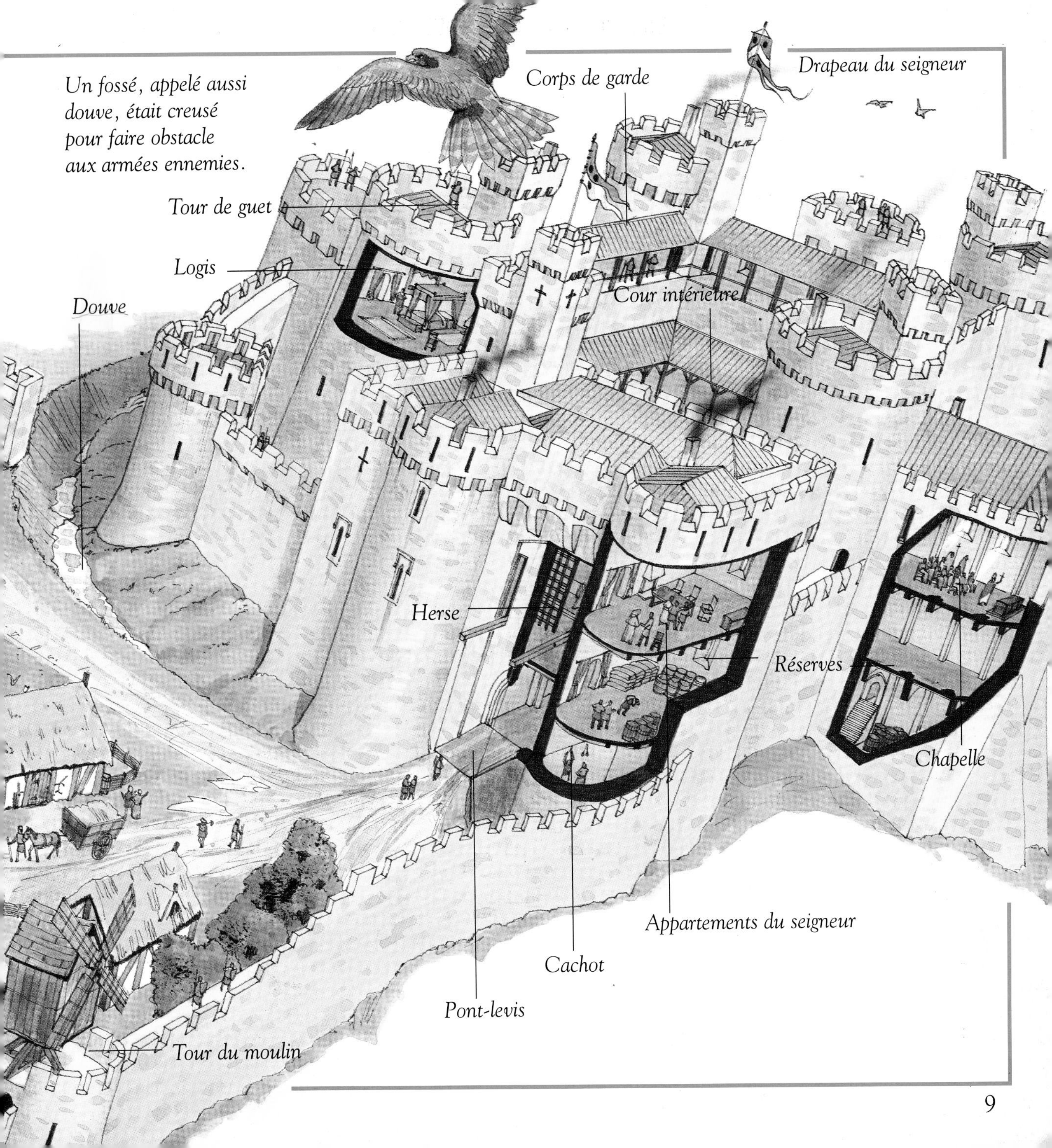
Un fossé, appelé aussi
douve, était creusé
pour faire obstacle
aux armées ennemies.
Corps de garde
Drapeau du seigneur
Tour de guet
Logis
Douve
Cour intérieure
Herse
Réserves
Chapelle
Appartements du seigneur
Cachot
Pont-levis
Tour du moulin

Après avoir conquis de nouvelles terres, l'armée normande construisit rapidement des châteaux pour défendre ses positions. Ces châteaux étaient faits de bois et de terre. Il ne fallait qu'une journée pour bâtir certains d'entre eux. Beaucoup furent reconstruits en pierre par la suite. Cela prenait de nombreuses années, mais ces châteaux étaient beaucoup plus solides.

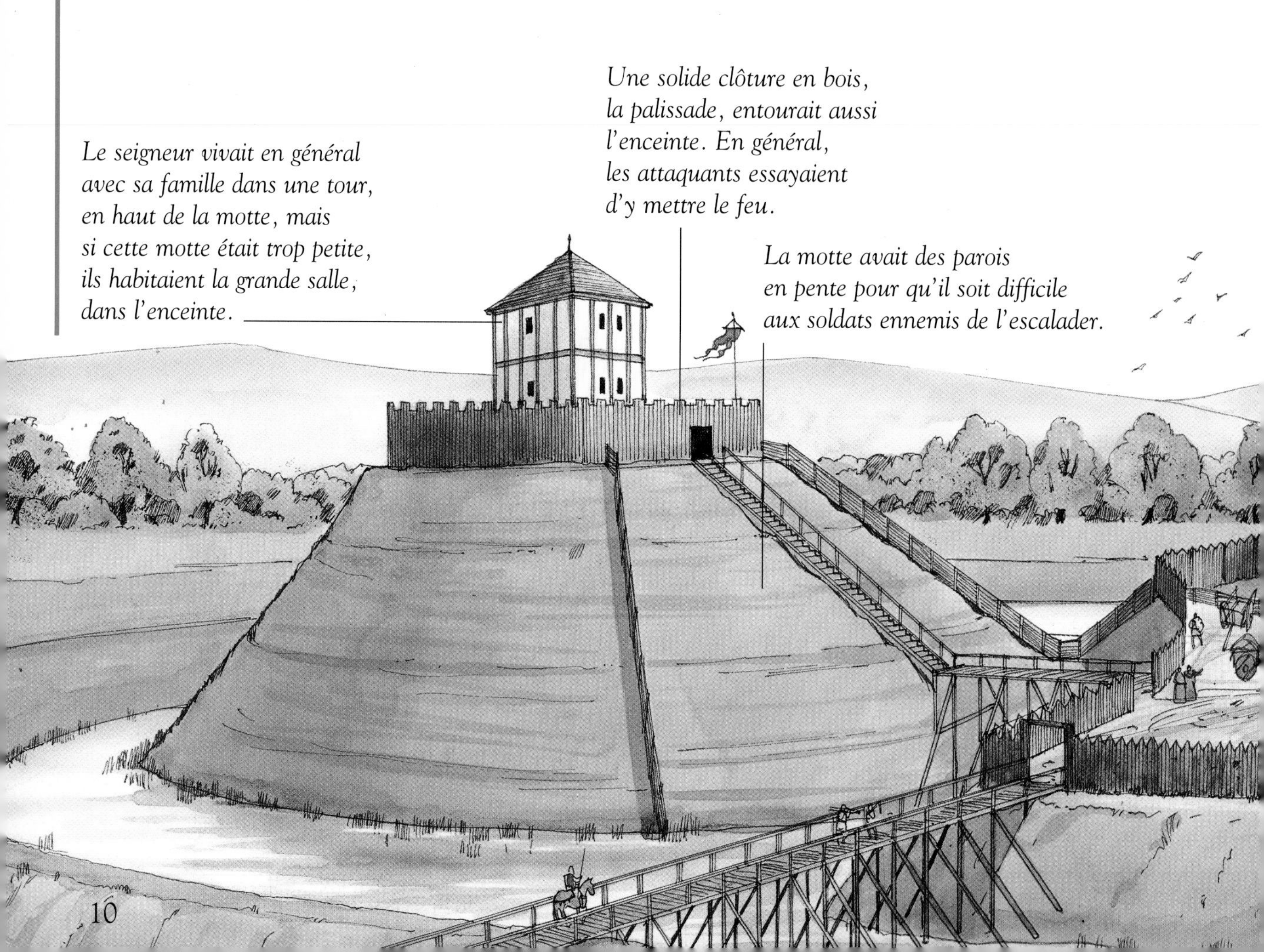

Le seigneur vivait en général avec sa famille dans une tour, en haut de la motte, mais si cette motte était trop petite, ils habitaient la grande salle, dans l'enceinte.

Une solide clôture en bois, la palissade, entourait aussi l'enceinte. En général, les attaquants essayaient d'y mettre le feu.

La motte avait des parois en pente pour qu'il soit difficile aux soldats ennemis de l'escalader.

Parmi les plus anciens châteaux,

certains étaient construits en bois. Une tour était bâtie sur une butte de terre, appelée la « motte ». À la base de cette butte se trouvait un espace clôturé : l'enceinte. Ces châteaux furent construits aux XIe et XIIe siècles. Ils servaient de résidence à des souverains appelés « seigneurs ». Le seigneur pouvait être un roi ou un noble. Il vivait dans le château avec sa famille, ses serviteurs et son entourage.

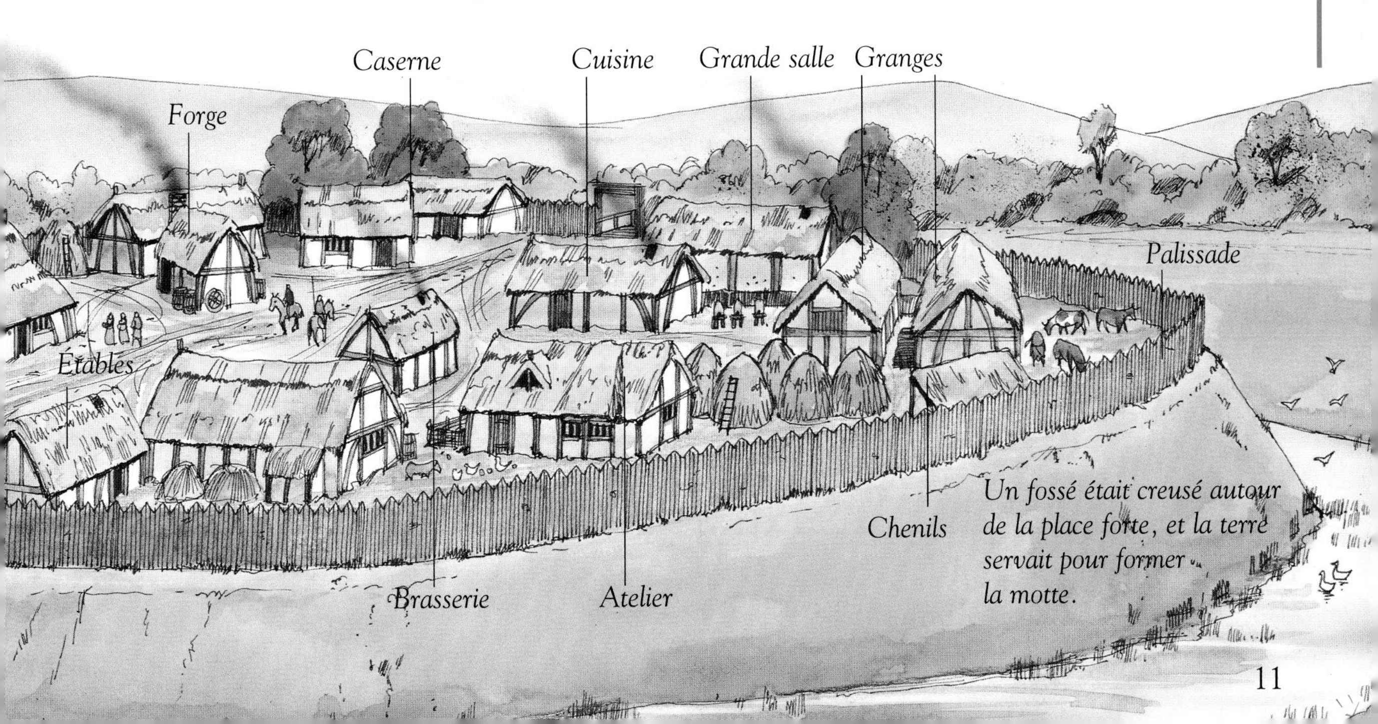

Un fossé était creusé autour de la place forte, et la terre servait pour former la motte.

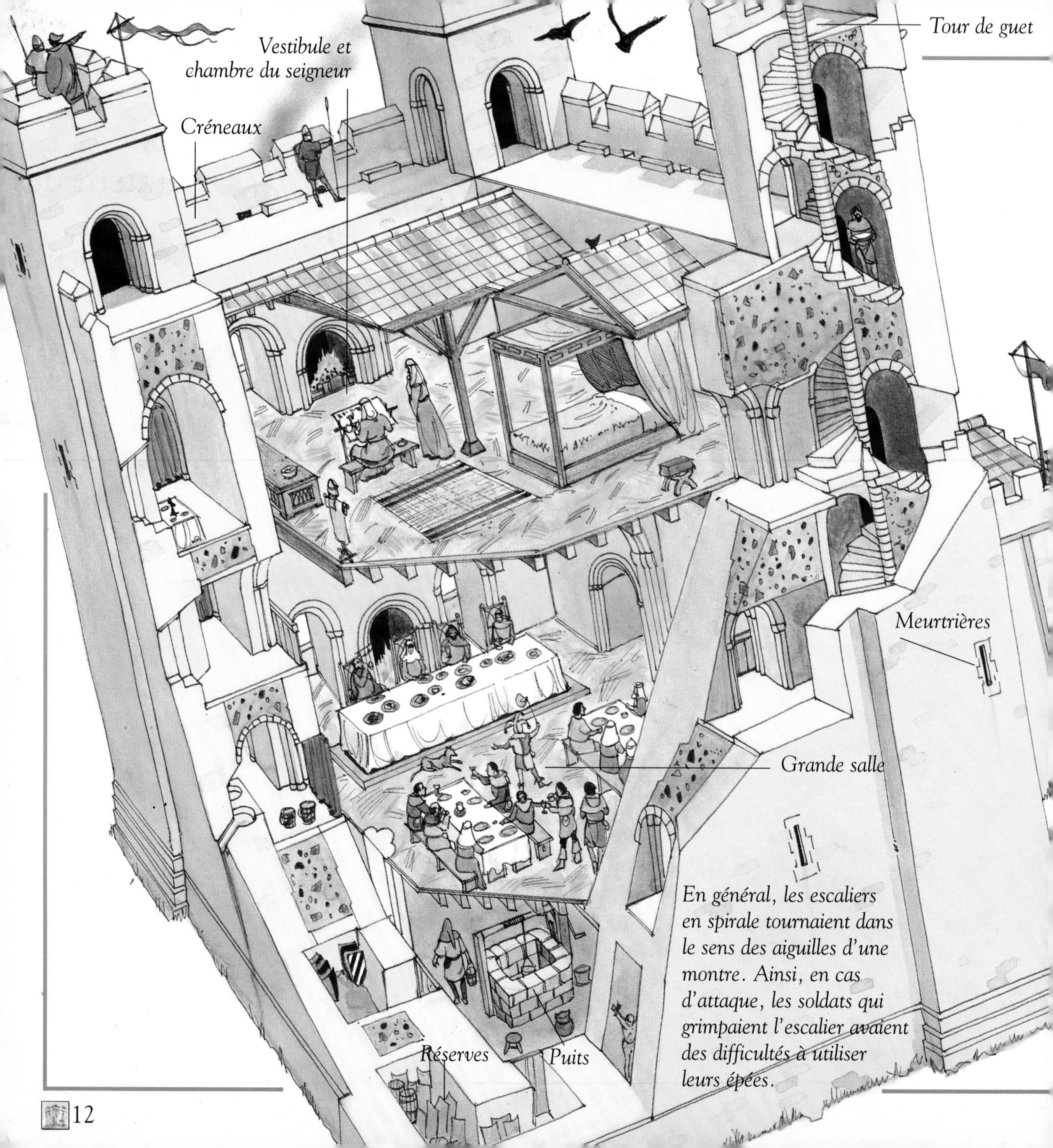

En général, les escaliers en spirale tournaient dans le sens des aiguilles d'une montre. Ainsi, en cas d'attaque, les soldats qui grimpaient l'escalier avaient des difficultés à utiliser leurs épées.

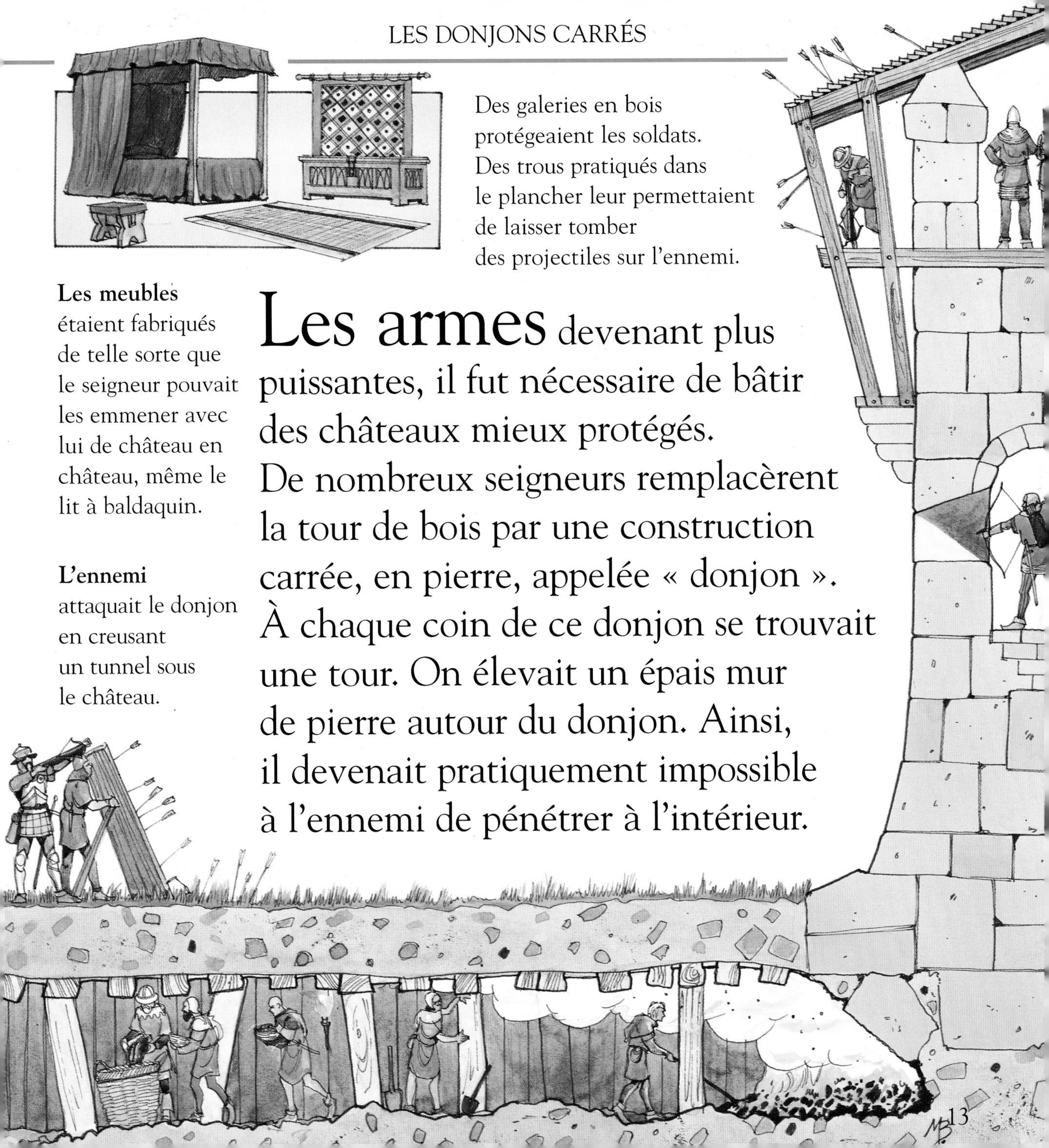

Des galeries en bois protégeaient les soldats. Des trous pratiqués dans le plancher leur permettaient de laisser tomber des projectiles sur l'ennemi.

Les meubles étaient fabriqués de telle sorte que le seigneur pouvait les emmener avec lui de château en château, même le lit à baldaquin.

L'ennemi attaquait le donjon en creusant un tunnel sous le château.

Les armes devenant plus puissantes, il fut nécessaire de bâtir des châteaux mieux protégés. De nombreux seigneurs remplacèrent la tour de bois par une construction carrée, en pierre, appelée « donjon ». À chaque coin de ce donjon se trouvait une tour. On élevait un épais mur de pierre autour du donjon. Ainsi, il devenait pratiquement impossible à l'ennemi de pénétrer à l'intérieur.

Mur
intérieur
Fossé
Mur
extérieur

Au XIIe siècle, des murs extérieurs furent ajoutés à de nombreux châteaux. Ces murs étaient plus bas que les murs intérieurs pour que plusieurs rangées de soldats puissent tirer leurs flèches en même temps. En cas d'attaque, le donjon représentait l'endroit le plus sûr, mais les gens préféraient souvent vivre dans les maisons situées dans la cour, ou dans des pièces aménagées dans les remparts. La meilleure façon de s'emparer de ces châteaux consistait à les encercler jusqu'à ce que les habitants, harcelés par la faim et la soif, finissent par se rendre. C'est ce qu'on appelle un siège. Page suivante, on peut voir l'intérieur du donjon d'un château.

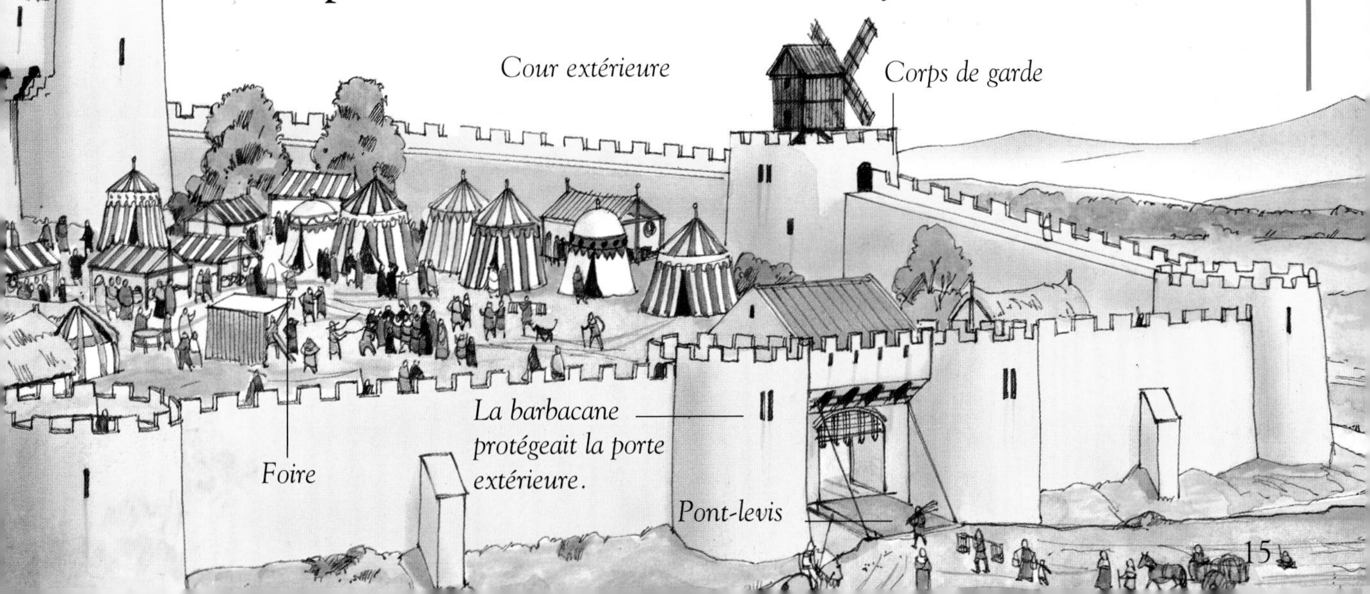

Un maître maçon dirigeait les ouvriers. Un clerc l'assistait, tenant les comptes et achetant les matériaux. La pierre était achetée en blocs bruts, puis façonnée et taillée par des tailleurs de pierre expérimentés.

Maître maçon *Clerc* *Porteur de pierres* *Maçons*

Pour construire un château,

il fallait des centaines d'artisans et d'ouvriers spécialisés, assistés par des groupes de manœuvres sans qualification. Si le château devait être achevé rapidement, les soldats, les ouvriers agricoles et même les prisonniers participaient à la construction. Tous ces travailleurs étaient organisés en équipes dirigées par un maître artisan.

Les tailleurs de pierre les travaillaient de telle façon qu'elles s'adaptaient parfaitement les unes aux autres.

Les charpentiers faisaient des poutres et des toits.

Les forgerons fabriquaient les clous.

Les plombiers versaient du plomb fondu dans des cadres pour faire des feuilles de métal destinées à couvrir le toit.

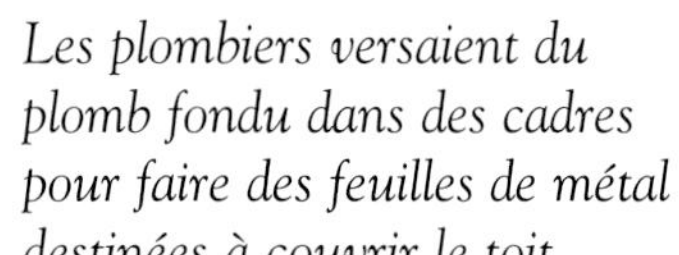

Souffleur de verre

Les vitriers fabriquaient les fenêtres.

On utilisait aussi des machines pour construire les châteaux. Ce treuil relié à une roue servait à soulever les charges lourdes.

Les pierres provenaient des carrières locales.

Les murs d'un château étaient très épais. On élevait en fait deux murs, et entre les deux on remplissait l'espace de gravats.

De nombreux outils déjà utilisés au Moyen Âge, comme les truelles et les burins, servent encore de nos jours pour la construction.

L'emplacement d'un château était choisi avec soin. On le construisait à un endroit difficilement attaquable : par exemple au bord d'une falaise ou en haut d'une colline.

Le mortier était un mélange de sable, de chaux et d'eau. Il servait à lier les pierres ensemble.

Les échafaudages étaient faits de poteaux en bois maintenus par des cordes.

Chaudron

Le bois à brûler provenait des forêts du seigneur.

La cuisine se trouvait en général dans un bâtiment à part, ou bien dehors, dans la cour, à cause des risques d'incendie. Des gens s'y affairaient en permanence, préparant les repas et mettant la nourriture en conserve. La viande cuisait à la broche sur le feu. Les autres aliments étaient habituellement cuisinés dans une grande marmite appelée « chaudron ».

Chaque goutte d'eau utilisée devait être tirée au puits.

Le pain était cuit chaque jour dans des fours en brique. On préparait également les boissons dans les cuisines. Le brasseur faisait de la bière, et certains châteaux possédaient même un pressoir à raisin pour faire du vin. En cas de siège, des réserves bien garnies en nourriture et en boisson étaient essentielles pour les habitants du château.

Pour conserver la viande, on pouvait la saler ou la garder dans de la saumure.

Des tranches de pain rassis, appelées tranchoirs, servaient d'assiettes. Par la suite, on les donnait aux pauvres comme nourriture.

Des tapisseries décoraient les murs.

Seul le seigneur, sa famille et ses invités s'asseyaient sur des chaises, à une table à part. Les autres se contentaient de bancs.

Les gens coupaient leur nourriture avec des couteaux, mais ils n'utilisaient pas de fourchettes. Ils mangeaient avec leurs doigts.

Les ménestrels chantaient et jouaient de la musique pour distraire les convives pendant les repas.

Des pages apportaient la nourriture des cuisines.

On buvait de la bière à tous les repas, même au petit déjeuner, car l'eau était parfois mauvaise.

Les chiens finissaient les restes.

On répandait souvent des herbes aromatiques sur le sol pour parfumer la salle.

Les jongleurs et les acrobates allaient de château en château en présentant leurs numéros.

Les fous et les bouffons devaient faire rire les gens. Pour cela, ils exécutaient des danses comiques, ou récitaient des poèmes et des contes amusants.

Le cœur du château était la grande salle. C'est là que les gens se rassemblaient pour manger, faire des affaires et s'amuser. La nuit, les tables et les bancs étaient rangés et les serviteurs étendaient des matelas de paille près du feu pour dormir. Le feu se trouvait souvent au milieu de la salle, la hauteur du plafond empêchait que la pièce ne devienne trop enfumée.

Des mimes venaient parfois au château. C'étaient en fait des habitants de la région déguisés. Ils dansaient ou donnaient des pièces de théâtre en échange de nourriture, de boisson ou d'argent. On les chassait rarement, car les gens pensaient que cela portait malheur.

Le seigneur du château était responsable de ses terres et de l'ordre public dans la région. Souvent, c'était aussi un personnage important dans l'armée. Il devait parfois aller se battre pour son pays ou partir en croisade. En son absence, sa dame prenait le commandement du royaume. Le seigneur et sa dame s'adonnaient aux plaisirs de la chasse. Ils aimaient aussi regarder leurs chevaliers s'affronter dans des tournois, comme celui qu'on peut voir sur les pages précédentes.

Au Moyen Âge les vêtements richement colorés étaient à la mode. Seule la noblesse avait le droit de porter de très beaux habits.

Un seigneur possédait plusieurs châteaux sur ses terres. Il résidait dans chacun d'entre eux à tour de rôle. Partout où il allait sa suite et ses serviteurs l'accompagnaient.

Généralement, une haie ou une clôture entourait les jardins du château. Ces jardins produisaient des légumes, mais on y cultivait aussi des fleurs et des arbres, plantés de façon décorative, pour le plaisir du seigneur et de sa dame.

La chasse était un sport prisé aussi bien par les seigneurs que par leurs dames. Ils chassaient le cerf, le sanglier, le renard, la loutre, le lièvre et le lapin.

Des colliers garnis de pointes protégeaient les chiens des coups de canines des sangliers.

Les paysans menaient une vie très dure. Ils devaient labourer à la fois leurs champs et ceux du seigneur pour avoir le droit de vivre sur ses terres.

Les soldats s'entraînaient au maniement de la lance en visant un bouclier en bois qu'on appelait une quintaine.

L'enceinte du château ressemblait à un petit village. En cas d'attaque, les gens se réfugiaient à l'intérieur du château lui-même.

Les toits de chaume étaient faits en roseaux ou en paille.

Les jardins, source de nourriture, étaient importants.

Les maisons avaient des charpentes en bois et des murs faits de branches tressées, de boue et de paille.

À l'automne, les villageois travaillaient tous ensemble pour planter du blé. Les animaux accomplissaient une partie des tâches, mais la plupart des travaux étaient faits à la main.

Tous les membres d'une même famille travaillaient, cuisinaient et dormaient dans une seule pièce.

Beaucoup de gens aidaient le seigneur et sa dame à faire fonctionner le château. Le maréchal attribuait les chambres à telle ou telle personne. Le chapelain célébrait les offices dans la chapelle privée. Les clercs tenaient les comptes du château.

Toutes sortes de gens travaillaient dans un château.

Certains servaient le seigneur, ou l'aidaient à s'occuper de ses affaires. D'autres fabriquaient les nombreux objets nécessaires : comme les tissus, les meubles et même les armures. Les paysans travaillaient sur les terres du château et vivaient dans des villages proches.

Les archers étaient des soldats armés d'un arc et de flèches. Les arbalétriers se servaient d'une arbalète. Le majordome et le panetier s'occupaient de la nourriture, de la boisson et des réserves. Le bailli relevait les droits de fermage pour le seigneur.

Les pages étaient au service des chevaliers et aidaient à servir les repas. Les palefreniers travaillaient dans les écuries et prenaient soin des chevaux. L'intendant s'occupait des fermes du seigneur.

L'armure protégeait les chevaliers des coups de lance ou d'épée sur les champs de bataille. L'écuyer aidait le chevalier à revêtir son armure et à l'entretenir.

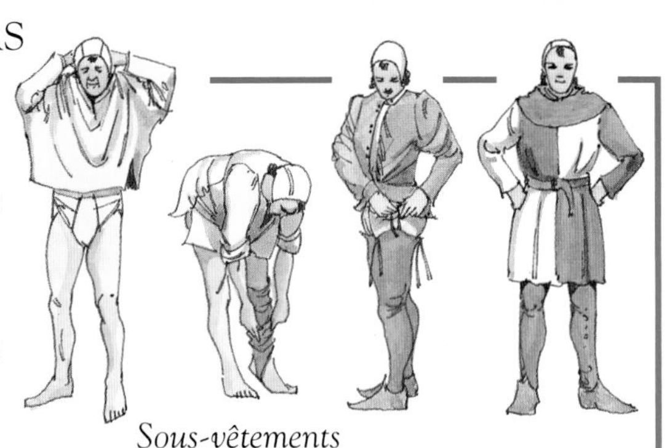

Sous-vêtements

Les chevaliers étaient les soldats les plus importants du château.

À partir de l'âge de 7 ans, un garçon de naissance noble pouvait s'entraîner pour devenir chevalier. Il commençait comme page et apprenait l'obéissance et les bonnes manières. À 14 ans, il devenait écuyer et travaillait pour un chevalier. Le chevalier lui enseignait toutes les techniques de combat. Les écuyers étaient enfin faits chevaliers au cours de la cérémonie dite d'adoubement. Durant cette cérémonie, on les touchait sur chaque épaule avec une épée.

Les joutes étaient le sport favori des chevaliers. Elles constituaient aussi un bon entraînement à la bataille. Deux chevaliers se précipitaient l'un vers l'autre à cheval. Chacun essayait de faire tomber l'autre de son cheval en le touchant avec sa lance.

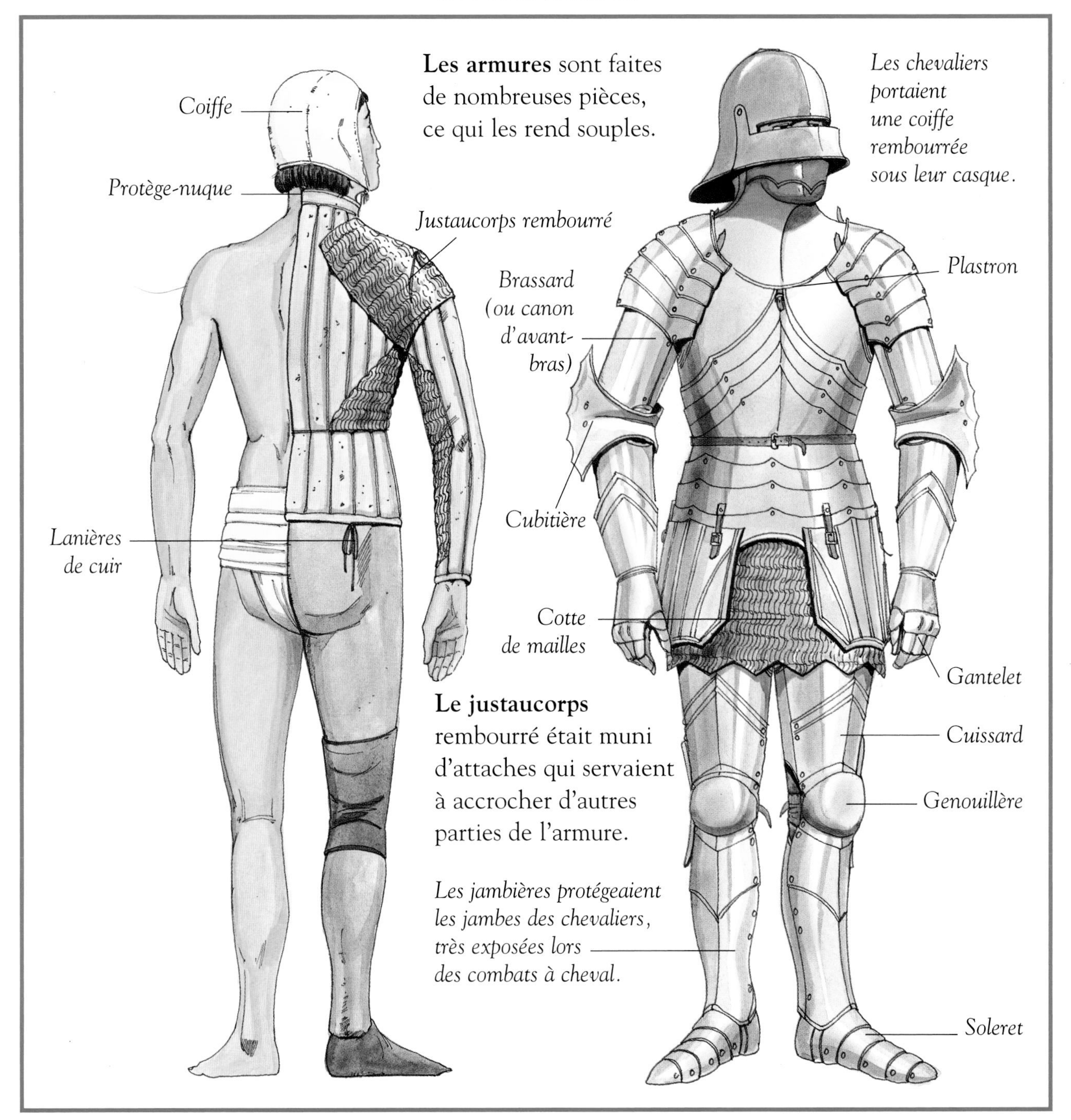

Les armures sont faites de nombreuses pièces, ce qui les rend souples.

Les chevaliers portaient une coiffe rembourrée sous leur casque.

Le justaucorps rembourré était muni d'attaches qui servaient à accrocher d'autres parties de l'armure.

Les jambières protégeaient les jambes des chevaliers, très exposées lors des combats à cheval.

Les attaquants s'approchaient du château en se cachant derrière des mantelets de siège.

Une machine de guerre appelée un mangonneau catapultait de lourdes pierres contre le château.

Des tours de siège permettaient aux attaquants de s'approcher des murs du château, puis des créneaux.

La présence du fossé rendait difficile l'approche du château avec hommes et matériel.

Des peaux d'animaux mouillées évitaient que les tours de siège ne s'enflamment.

Pont-levis

Herse

Le pont-levis et la herse étaient relevés depuis la salle des treuils.

Le corps de garde défendait l'entrée principale. C'était le point faible du château.

Les archers tiraient une pluie de flèches qui pouvaient arrêter net une armée.

Il fallait du temps pour recharger une arbalète, mais cette arme tirait des grosses flèches, les carreaux qui pouvaient transpercer une armure.

Quand l'ennemi passait à l'attaque, le pont-levis était relevé. Les habitants du château se préparaient au combat et les soldats se mettaient en place derrière les créneaux. Il devenait très difficile de pénétrer à l'intérieur du château. Les attaquants utilisaient donc des armes spéciales pour essayer d'en franchir les murs.

Un siège pouvait être long et meurtrier. Un grand nombre de soldats mouraient dans chaque camp.

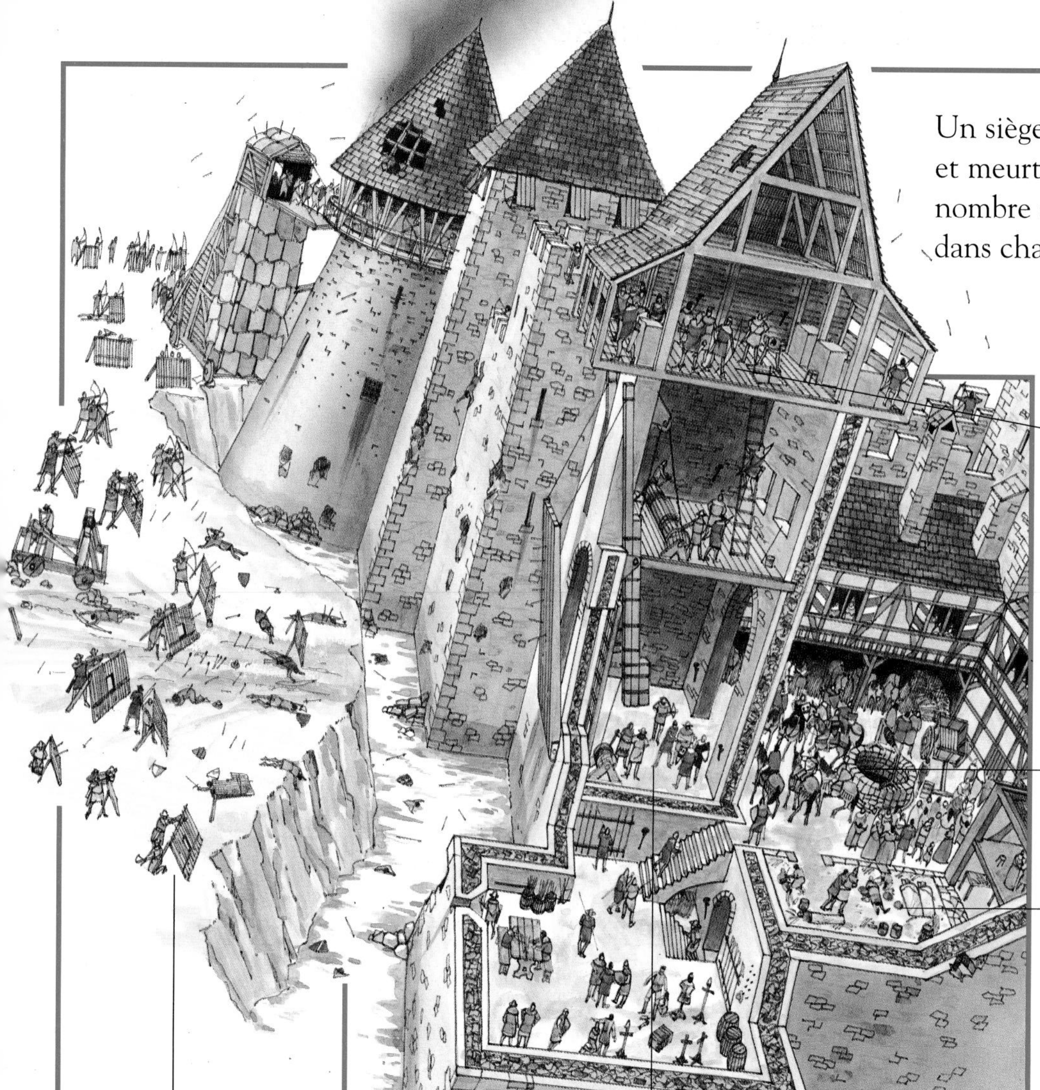

Chevaliers prêts au combat

Il était essentiel de détenir une source d'approvisionnement en eau à l'intérieur du château, pour que l'ennemi ne puisse pas l'empoisonner.

Blessés se faisant soigner

Les soldats ennemis essayaient de créer un point faible dans le château. Ensuite, ils passaient à l'attaque.

Fantassins

L'ennemi traversait parfois le fossé en bateau.

Le pont-levis était relevé, faisant place au large fossé entre le corps de garde et l'ennemi.

Les hourds étaient des galeries en bois en haut des murs. Grâce à ces galeries, les soldats pouvaient tirer sur l'ennemi en dessous d'eux.

Le siège d'un château fort

était en général long et pénible. Il pouvait durer des mois, voire une année entière. La nourriture et la boisson revêtaient donc autant d'importance que les armes, car la faim et la soif pouvaient forcer les habitants d'un château à se rendre. Mais, au fil des ans, les canons devinrent de plus en plus puissants, au point que plus aucun château ne pouvait résister longtemps à un bombardement. Les châteaux perdirent peu à peu de leur intérêt.

Les canons tiraient des grosses pierres ou des boulets en métal qui pouvaient défoncer les murs d'un château.

À Rome, sur une sculpture, on peut voir un bâtiment fortifié très ancien appelé « castrum ». Le mot château vient de ce terme.

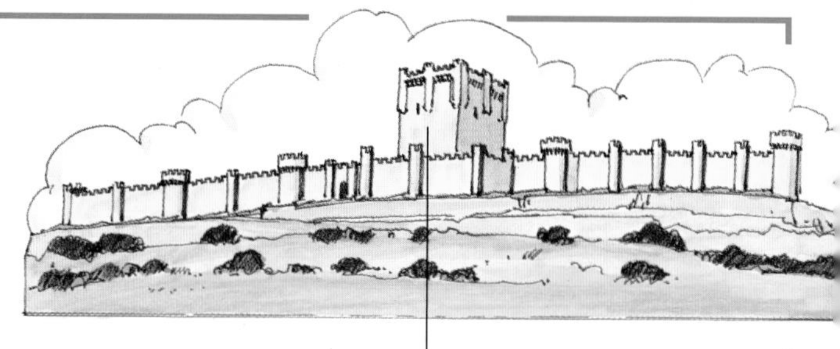

Le château de Peñafiel, en Espagne, a un bon emplacement défensif, en haut d'une colline. Les soldats pouvaient facilement voir l'ennemi approcher.

Partout dans le monde, on a construit des châteaux pour servir de forteresses et de lieux de résidence. Ces châteaux étaient tous conçus pour protéger leur propriétaire des armées ennemies, mais leur apparence variait considérablement. Dans un passé plus récent, des gens fortunés et puissants ont fait bâtir des châteaux pour manifester leur pouvoir. De nos jours, les châteaux n'ont plus aucune importance d'ordre militaire.

Le château de Windsor appartient à la famille royale britannique. C'est l'un des rares châteaux qui servent encore de lieu de résidence.

Le château de Castel del Monte, en Italie, a huit côtés. Les tours qui se trouvent à chaque coin du bâtiment sont également octogonales.

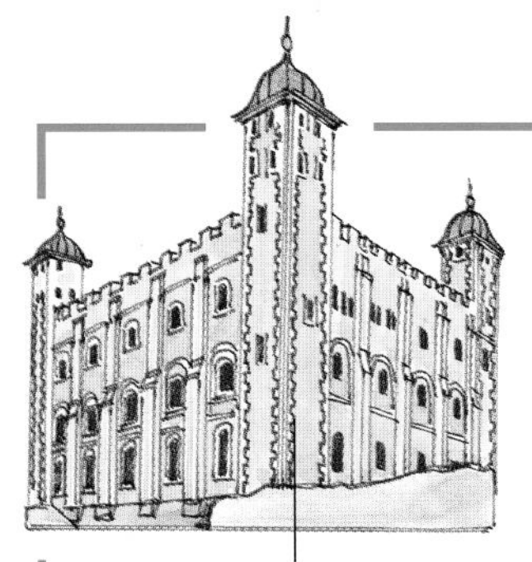

La Tour Blanche, est la plus ancienne partie de la Tour de Londres.

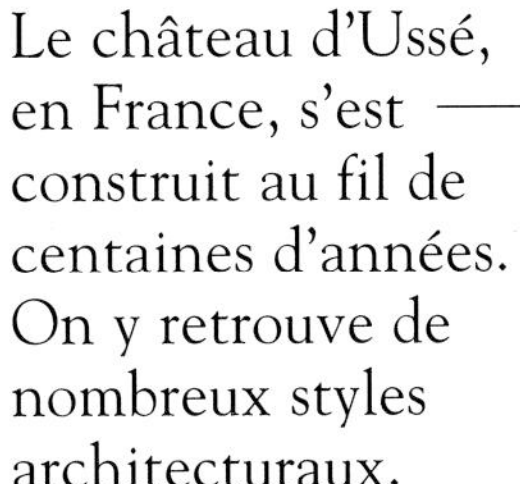

Le château d'Ussé, en France, s'est construit au fil de centaines d'années. On y retrouve de nombreux styles architecturaux.

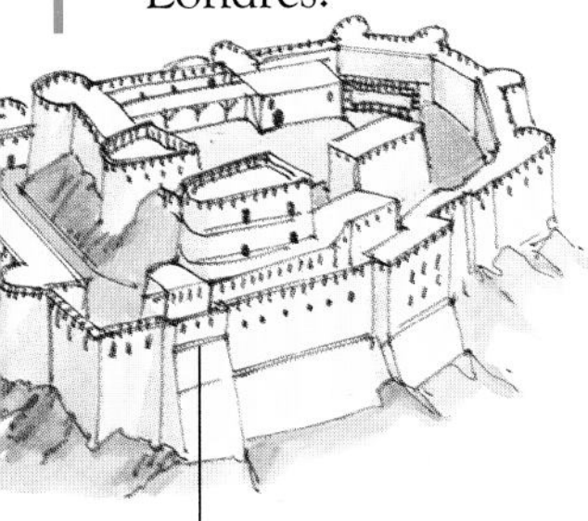

Les Croisés bâtirent des châteaux tels que le Krak des Chevaliers quand ils combattaient en Terre sainte.

Le château de Neuschwanstein, en Allemagne, ressemble à un château du Moyen Âge, mais il a été construit des centaines d'années plus tard, au XIXe siècle.

Le palais d'Amber était aussi un fort. Il a été construit en Inde au XVIIe siècle.

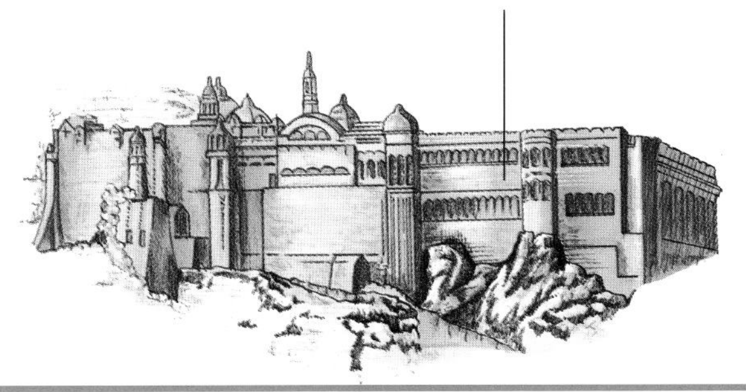

Les châteaux japonais, comme ce château du XVIe siècle, situé à Osaka, étaient bâtis pour des seigneurs appelés « daimyos ».

MOTS UTILES

Barbacane : tour qui protégeait la porte extérieure.

Bombardement : attaque continuelle au canon.

Cachot : salle souterraine où l'on enfermait les prisonniers.

Caserne : bâtiment où vivaient les soldats.

Corps de garde : tour construite pour défendre une entrée.

Créneaux : ouvertures au sommet des murs d'un château, par lesquelles les soldats pouvaient tirer à couvert sur leurs ennemis.

Croisades : guerres entre les armées chrétiennes et musulmanes qui débutèrent au XIe siècle en Terre sainte.

Forge : atelier d'un forgeron. Celui-ci fabrique des objets, généralement en métal.

Place forte : lieu organisé pour défendre les gens qui s'y tiennent.

Herse : porte en bois et en métal qui pouvait être relevée et abaissée.

Lance : long bâton pointu et coupant utilisé comme arme. Les lances servaient à faire tomber les cavaliers de leur cheval.

Logis : appartement dans la partie supérieure du château.

Mantelet de siège : grand bouclier en bois que les soldats déplaçaient au cours d'une bataille.

Mangonneau : machine de guerre qui lançait des pierres.

Médiéval : qui a un rapport avec le Moyen Âge.

Normands : habitants de la Normandie, dans le nord de la France.

Palefrenier : personne chargée du soin des chevaux.

Pont-levis : pont qu'on pouvait relever, ou enlever, pour laisser la place à un fossé.

Projectile : objet qu'on lance ou qu'on tire dans les airs.

Remparts : murs servant à défendre un château ou une ville.

Terre sainte : de nos jours, ce sont les territoires d'Israël, de la Jordanie et de la Syrie.